Nos Da, Anifeiliaid!

Goodnight, Animals!

Ian Whybrow   Ed Eaves

Nos Da, Anifeiliaid!

Goodnight, Animals!

Addasiad / Adapted by Sioned Lleinau

Gomer

Â'r lleuad yn ddisglair a'r sêr fyny fry
Awn am dro bach sydyn nawr, un, dau, tri!

With the moon so bright and the stars in the sky
We'll have a quick stroll now, one, two, three!

Pwy sy'n chwarae'n llawn sbort a sbri
Â'i bêl a'i asgwrn yng nghefn y tŷ?

Who is playing and having fun
With a ball and a bone in the backyard?

Jac

Nos da, Ci!
Goodnight, Dog!

BOW, WOW, WOW!
Woof, woof, woof!

Draw yn y coed, dacw gadno bach cyfrwys
Â'i gynffon goch hardd a'i lygaid direidus.

Over in the trees is a clever young fox
With a bushy red tail and mischievous eyes.

Nos da, Cadno!

Goodnight, Fox!

Iep, Iep, Iep!

Yip, yip, yip!

Fry yn y goeden yn gynnes a chlyd
Mae 'na griw bach pluog yn hapus eu byd.

High in the tree where it's all warm and cosy
Is a feathery group so full of joy.

Twît, twît, twît!

Tweet, tweet, tweet!

Nos da, adar!

Goodnight, birds!

Pwy sy'n hedfan yn dawel drwy'r nos
Gan godi a disgyn dros fryn a rhos?

Who is flying so quietly by night
Up and down over hills and moors?

Nos da, Tylluan!

Goodnight, Owl!

Tŵ-whit-a-hŵ! Tŵ-whit-a-hŵ!

whit-to-whoo! whit-to-whoo!

Pwy sy'n gwichian ac yn gwibio o hyd
Cyn dringo i'r gwely yng nghanol yr ŷd?

Who squeaks and scurries around all the time
Before climbing into bed in the corn?

Nos da, Llygoden!

Goodnight, Mouse!

Gwich, gwich, gwich!

Squeak, Squeak, Squeak!

Cwningod bach prysur, gyda'u hop, cam a naid,
Mae'n amser tawelu a chysgu fydd rhaid!
Busy little rabbits, with their hop, hop, flop,
It's time to settle and go to sleep!

Nos da, gwningod!
Goodnight, rabbits!

Hop, cam, naid!

Hop, hop, flop!

Cyrraedd adre'n ddiogel at y cathod bach,
Llymaid o laeth a chysgu'n iach!

Home safely to the kittens,
A drink of milk and they're fast asleep.

Nos da, gathod bach.

Goodnight, kittens.

Miaw, miaw, miaw!

Mew, mew, mew!

Nawr, un cyfle arall i ddweud nos da,
Yn dawel bach, gyda'n gilydd, 'Nos da!'
Now, one more chance to say goodnight,
Very quietly, all together, 'Goodnight!'

Nos da, adar!
Goodnight, birds!
Twît, twît, twît!
Tweet, tweet, tweet!

Nos da, Ci!
Goodnight, Dog!
Bow, wow, wow!
Woof, woof, woof!

Nos da, Cadno!
Goodnight, Fox!
Iep, iep, iep!
Yip, yip, yip!

Nos da, Llygoden!
Goodnight, Mouse!
Gwich, gwich, gwich!
Squeak, squeak, squeak!

Nos da, Tylluan!
Goodnight, Owl!
Tŵ-whit-a-hŵ!
whit-to-whoo!

Nos da, gwningod!
Goodnight, rabbits!
HOP, cam, naid!
Hop, hop, flop!

Nos da, gathod bach!
Goodnight, kittens!
Miaw, miaw, miaw!
Mew, mew, mew!

Yn gynnes braf gyda'r cathod bach,
Daeth yn amser i ninnau ddweud, 'Nos da, Cath!'

All nice and warm with her kittens,
It's now time for us to say, 'Goodnight, Cat!'

I Amelie a Sophia gyda llawer o gariad – I.W.

I Jack Cwsg a Ralphie Cwsg – E.E.

Cyhoeddwyd gyntaf ym Mhrydain yn 2008 gan Macmillan Children's Books

rhan o Macmillan Publishers Ltd, 20 New Wharf Road, Llundain, N1 9RR

Cyhoeddwyd gyntaf yng Nghymru gan Wasg Gomer, Llandysul, Ceredigion, SA44 4JL www.gomer.co.uk

First published in 2008 by Macmillan Children's Books

a division of Macmillan Publishers Ltd, 20 New Wharf Road, London N1 9RR

First published in Wales by Gomer Press, Llandysul, Ceredigion, SA44 4JL www.gomer.co.uk

ISBN 978 1 84851 370 9

Ⓑ y testun gwreiddiol/original text © Ian Whybrow, 2008

Ⓑ y lluniau/illustrations © Ed Eaves, 2008

Ⓑ y testun dwyieithog/bilingual text © Sioned Lleinau, 2011

Argraffwyd yn China/Printed in China.